Les Combines du Téléphone

Pratique
de la communication téléphonique
en français

Jean LAMOUREUX

La collection FLEM est dirigée par Jean-Pierre Cuq,
directeur du Centre universitaire d'études françaises (CUEF) Grenoble Stendhal.

Dans la même collection

Ch. ABBADIE, B. CHOVELON, M.H. MORSEL
L'Expression française écrite et orale
200 pages, format 17 x 25 cm - 60,00 FF.
Corrigé des exercices de l'Expression française
64 pages, format 17 x 25 cm - 46, 00 FF.

D. ABRY, M.L. CHALARON, J. Van EIBERGEN
Présent, passé, futur. Grammaire des premiers temps
88 pages, format 17 x 25 cm - 37,00 FF.

M.L. CHALARON, R. ROESCH
La grammaire autrement. Sensibilisation et pratique
136 pages, format 17 x 25 cm - 48,00 FF.

C. DESCOTES-GENON, R. ROLLE-HAROLD, E. SZILAGYI
La Messagerie. Pratique de la communication commerciale en Français
160 pages, format 21 x 29,7 cm - 72,00 FF.
Corrigé des exercices de La Messagerie
32 pages, format 21 x 29,7 cm - 28,00 FF
Cassette : 30 mn - 60,00 F.

E. SZILAGYI
Affaires à faire. Pratique de la négociation d'affaires en français
144 pages, format 21 x 29,7 cm - 72,00 FF.
Corrigé des exercices de Affaires à faire
32 pages, format 21 x 29,7 cm - 28,00 FF.

C. DESCOTES-GENON, M.H. MORSEL, C. RICHOU
L'Exercisier. Exercices de grammaire pour niveau intermédiaire
336 pages, format 17 x 24,5 cm - 90,00 FF.
Corrigé des exercices de L'Exercisier
96 pages, format 17 x 24,5 cm - 50,00 FF.

D. ABRY, M.L. CHALARON
A propos de...
256 pages, format 17 x 24,5 cm - 90,00 FF.
Guide pédagogique de A propos de...
80 pages, format 17 x 24,5 cm
Cassette : 90 mn - 90,00 FF.

C. DESCOTES-GENON, S. EURIN, R. ROLLE-HAROLD, E. SZILAGYI
La Voyagerie. Pratique du français du tourisme
240 pages, format 211 x 29,7 cm - 90,00 FF.
Corrigé des exercices de La Voyagerie
64 pages, format 21 x 29,7 cm - 50,00 FF.
Cassette : 90 mn - 80,00 FF.

© Presses Universitaires de Grenoble
BP 47 – 38040 Grenoble cedex 9 – Tél : 76 82 56 51
ISBN 2 7061 0516 X
Cassette audio : ISBN 2 7061 0517 8

SOMMAIRE

Introduction

Dans la pratique d'une langue étrangère que l'on ne maîtrise pas encore parfaitement, il est une épreuve difficile entre toutes, où les choses se compliquent dès que le mot fatidique est prononcé : « Allô ! ».

De plus en plus de gens sont confrontés à cette « spécialité » délicate de la communication et les ouvrages pédagogiques sur ce thème ne sont pas légion. Nous avons pensé que ce serait rendre véritablement service aux étudiants étrangers, ainsi qu'à tous ceux qui suivent une formation dans le domaine du français professionnel, que de leur donner les moyens de surmonter cet obstacle du téléphone.

Nous nous sommes efforcé de varier le plus possible la nature des exercices qui correspondent tous à des situations concrètes, sans jamais perdre de vue la priorité accordée à une authentique pratique du français. Il est même possible d'utiliser cet ouvrage comme support de conversations dans les classes tant il est abondant en situations, jeux de rôles, improvisations.

Les exercices évoluent chronologiquement en difficulté. Les premiers sont une initiation au langage de base spécifique, une mise en condition, et au fil des pages les arguments deviennent plus complexes, prennent davantage en compte les divers aléas de la réalité. Ce livre permet de travailler à différents niveaux d'apprentissage depuis les grands débutants jusqu'aux étudiants confirmés qui sont à la recherche du perfectionnement que seule la pratique peut leur assurer, sans oublier tous ceux qui par besoin professionnel sont amenés à parfaire leurs connaissances pour mieux dialoguer avec leurs correspondants français.

SébastienCroce

1. Vocabulaire et expressions de base

A – Les mots pratiques

– le combiné
– l'appareil
– la tonalité
– la communication

– un indicatif
– un répertoire téléphonique
– un coup de fil
– les coordonnées
– l'annuaire

– décrocher = prendre le combiné
– raccrocher = poser le combiné
– attendre la tonalité
– composer un numéro
  = faire un numéro
– répéter
– épeler
– rappeler
– joindre
– patienter

B – Les formules de secours

– Vous pouvez répéter un peu plus lentement s'il vous plaît ?
– Je suis désolé, je n'ai pas tout compris.
– Vous parlez beaucoup trop vite.
– Ne quittez pas, je vous passe le service concerné.

C – Les formules finales

– Merci beaucoup, au revoir.
– Je vous en prie, au revoir.
– C'est très aimable à vous.
– C'est extrêmement gentil de votre part.
– Vous pouvez compter sur moi.
– Je n'y manquerai pas.
– Je vous rappelle demain sans faute.

Exercices

---

1. *Retrouvez les mots d'après les définitions suivantes :*

Dire toutes les lettres d'un mot pour l'écrire correctement :

....

Téléphoner à quelqu'un une nouvelle fois :

....

L'adresse et le téléphone d'une personne :

....

Le numéro sur une lettre qui indique la ville :

....

Trouver une personne au téléphone, la contacter :

....

---

2. *Complétez les phrases suivantes avec des mots du vocabulaire de base.*

Il y a un problème, la .... a été interrompue.

Tu es gentil, tu me passes un .... dès que tu arrives à la maison.

Pardon Mademoiselle, quel .... faut-il faire pour appeler en province ?

Téléphone ! Tu veux bien .... s'il te plaît, j'ai les mains prises.

Je n'ai pas bien compris, pouvez-vous .... je vous prie ?

3. *Répondez rapidement aux questions suivantes :*

Quand doit-on décrocher le téléphone ?

....

Comment comprenez-vous l'expression « raccrocher au nez de quelqu'un ? »

....

À quelle occasion doit-on rappeler une personne ?

....

4. *Trouvez la formule finale qui convient.*

– Je peux vraiment passer chez vous pour prendre la voiture ?
– Si vous me la ramenez avant 6 heures, il n'y a pas de problème.

– ....

– Vous êtes certain que les produits seront livrés demain matin sans faute ? C'est vraiment important.

– ....

– Il faut me donner votre accord définitif demain au plus tard.

– ....

– Vous n'oublierez pas de saluer vos parents de ma part.

....

5. *« Je vous prie », « Je vous prie de », « Je vous en prie »* :

Contruisez une phrase qui se finit par « je vous prie ».

....

Commencez une phrase par « Je vous prie de ».

....

Dites à quelle occasion on utilise « Je vous en prie ».

....

SébastienCroce

2. Prise de contact

A – Vous appelez

Vous voulez parler à quelqu'un qui est présent.

– Bonjour, je voudrais parler à Monsieur Lenormand.
– Ne quittez pas, je vous le passe.

– Pourriez-vous me passer Monsieur Lenormand ?
– Un instant je vous prie.

– Monsieur Lenormand, s'il vous plaît.
– C'est de la part de qui ? (C'est à quel sujet ?)
– C'est personnel.

Votre correspondant est absent ou occupé.

– Malheureusement, il est absent pour le moment, mais il peut peut-être vous joindre un peu plus tard ?

– Il est en ligne pour le moment, voulez-vous patienter ou préférez-vous rappeler plus tard ?

– Voulez-vous lui laisser un message ? Je le lui transmettrai dès qu'il rentrera.

– Si vous me laissez vos coordonnées, il vous rappellera dès son retour.

Exercices

---

1. *Complétez les parties du dialogue qui manquent.*

– Agence BCA, bonjour.

– Bonjour, je voudrais parler ...... Monsieur Lemoine ....

– ...., je vous le passe.

– Institut Lagarde, bonjour.

– .... me passer Madame Gaucher, je vous ....

– Villejoie Assurances, bonjour.

– Bonjour, je voudrais Monsieur Lebec s'il vous plaît.

– .... ?

– C'est à propos de mon contrat, il y a un petit problème.

– Un instant, je vous prie.

---

2. *Remettez les conversations suivantes dans l'ordre.*

– Je vais la rappeler dans un quart d'heure, au revoir.
– CCS, bonjour.
– Elle est en ligne pour le moment, voulez-vous patienter ou préférez-vous rappeler plus tard ?
– Au revoir.
– Bonjour, je voudrais parler à Mademoiselle Edmer s'il vous plaît.

– ....

– ....

– ....

– ....

– ....

– Dites-lui seulement que Madame Lepic a appelé.

– Il n'est pas là ce matin, il sera de retour vers 14 heures. Voulez-vous laisser un message ou désirez-vous qu'il vous rappelle ?

– Je vous remercie, au revoir.

– Très bien, je n'y manquerai pas.

– Bonjour, pourriez-vous me passer Monsieur Jeantôt au poste 326, je vous prie ?

– Au revoir.

– Radio-France, bonjour.

– ....

– ....

– ....

– ....

– ....

– ....

– ....

– D'accord, au revoir.

– Aïe, vous ne savez pas où je peux le joindre, je dois lui parler de toute urgence.

– Bonjour, je voudrais parler à Monsieur Henrieux s'il vous plaît.

– Bien, j'essaye de le joindre dans sa voiture et si je le trouve pas je vous rappelle.

– Au revoir.

– Il est peut-être dans sa voiture, c'est le 48 76 93 88, mais je ne peux rien vous promettre. Sinon, il a dit qu'il serait de retour vers 10 heures.

– Malheureusement, il est absent pour le moment.

– ....

– ....

– ....

– ....

– ....

– ....

– ....

3. *Jouez ces dialogues à trois.*

Pauline Durand travaille au secrétariat d'une école privée, l'école Dusire. Elle doit informer **Monsieur Lepainsec**, qui est professeur dans cette école, que le portefeuille qu'il avait perdu hier a été retrouvé.
C'est **Madame Lepainsec** qui décroche, et Pauline Durand lui demande de lui passer son mari.
– Allô !
– Bonjour ....

– ....

– ....

Claude Lenormand est au chômage, il appelle le bureau de l'ANPE (Agence nationale pour l'emploi) où il est inscrit. Il désire parler à **Monsieur Lemaire** qui s'occupe de son dossier (référence 986 791 B) pour lui demander s'il doit envoyer son inscription au stage d'informatique en recommandé ou en lettre simple. Monsieur Lemaire lui dit qu'une lettre simple suffit, mais qu'il doit absolument l'envoyer demain matin.
Paulette Préval qui reçoit les appels au standard transmet la communication à Monsieur Lemaire.
– Allô !
– Bonjour ....

– ....

– ....

Claire Lehuire est cliente d'une grande agence de voyages, *Horizons*, elle veut contacter **Monsieur Pinocle** qui lui a fait hier une offre très intéressante pour un voyage d'une semaine aux Canaries. Claire Lehuire appelle pour confirmer son accord. **Pascale Levrault**, la collaboratrice de Monsieur Pinocle décroche le téléphone et demande à Claire Lehuire à quel sujet elle appelle avant de lui passer Monsieur Pinocle.
– Allô !
– Bonjour ....

– ....

– ....

Emile Boutran veut parler à son ami, **Etienne Médusat**, qui travaille comme serveur au bar *La Belle Epoque*. Il tombe sur le patron, **Jacques Mollard** qui lui passe Etienne en expliquant que la conversation ne doit pas durer trop longtemps parce qu'il y a beaucoup de clients en ce moment. Emile lui dit qu'il désire simplement demander à Etienne s'il peut passer chez lui ce soir pour lui montrer sa nouvelle moto.

– Allô !

– Bonjour ....

– ....

– ....

B – On vous appelle

Vous devez passer un correspondant.

– Ne quittez pas, je vous le passe tout de suite.

– Un instant, s'il vous plaît, je vais voir s'il est là.

– Je suis désolé, il est en réunion, voulez-vous que je prenne un message ?

– Oh, il ne sera pas là avant demain, voulez-vous qu'il vous rappelle ?

Vous devez donner un renseignement.

– Pouvez-vous me dire où je peux le joindre ?
– Bien sûr, vous pouvez le contacter au 43 56 78 39.

– Pourriez-vous m'indiquer le poste de Mademoiselle Claude, je vous prie ?
– Certainement, c'est le poste 324.

– Je voudrais savoir à quelle heure ferment vos bureaux.
– Tous les soirs à 18 heures 30.

Exercices

1. *Lisez à deux les conversations suivantes en essayant d'y mettre le ton.*

– Métadan SA, bonjour.
– Allô, bonjour, passez-moi Mademoiselle Hérédia s'il vous plaît.
– Excusez-moi, je n'ai pas bien compris le nom.
– Mademoiselle *Hérédia* je vous prie.
– De la part de qui ?
– Monsieur Alfredin.
– Ne quittez pas, je vous la passe tout de suite.
– Merci.

– Cuir Import, bonjour.
– Bonjour, je voudrais parler à Monsieur Golbec s'il vous plaît.
– Je suis désolé, il est occupé pour le moment et il demande qu'on ne le dérange sous aucun prétexte.
– Ah bon, ben, euh, vous savez à quelle heure je peux le joindre ?
– Je pense que d'ici une demi-heure il n'y aura pas de problème. Voulez-vous lui laisser un message, voulez-vous qu'il vous rappelle ?
– S'il pouvait me rappeler, ce serait très bien. Je suis Madame Laron et mon numéro est 47 89 76 34.
– C'est bien le 47 89 66 34 ?
– Non, c'est le 47 89 76 34.
– 4-7-8-9-7-6-3-4.
– Oui, c'est ça. Mais n'oubliez pas, c'est important.
– Vous pouvez compter sur moi.
– Merci beaucoup.
– Je vous en prie, au revoir.
– Au revoir.

– Magasins Réunis, bonjour.
– Bonjour, je voudrais savoir ce que je dois faire parce que j'ai reçu une facture que je ne comprends pas.
– Vous me dites votre nom, s'il vous plaît ?
– Ah, pardon, je suis Monsieur Lacroix.
– Veuillez patienter, je vous prie.
– …
– Monsieur Lacroix ?
– Oui.
– Vous avez le service des factures.
– Merci.

2. *A vous d'imaginer les réponses qui manquent.*

– Sport 2000, bonjour.
– Bonjour, je voudrais parler à Martine, s'il vous plaît.

– ....

– Vous ne savez pas à quelle heure elle revient ?
– Normalement vers 13 heures 30.

– .... ?

– Bien sûr, pas de problème, elle a votre numéro ?
– Oui, oui, je suis un ami, Marc, elle me connaît.
– Très bien, je lui fais la commission dès son retour.
– Je vous remercie, au revoir.
– Au revoir.

– Allô
– Bonjour Madame, Jacques est là s'il vous plaît ?
– Oui, mais il est dans son bain.

– .... ?

– Non, je ne connais pas le téléphone de Pauline, mais je peux aller lui demander si vous voulez.

– ....

– Bien, je lui dis de vous rappeler dès qu'il a fini.
– Je vous remercie, au revoir.
– Au revoir.

– Provoyages, bonjour.
– Bonjour, je voudrais savoir ....

– .... ?

– Vous savez, il serait bien plus simple de passer à nos bureaux.

– ....

– Le soir, nous fermons à 18 heures.
– Très bien, je vais passer tout à l'heure.
– Je vous recevrai avec plaisir, à bientôt.
– Au revoir.

3. *Que répondez-vous si on vous demande au téléphone :*

– Pouvez-vous me donner les coordonnées de Monsieur Ladurie ?

– ....

– Savez-vous où je peux joindre Mademoiselle Dugon autrement qu'à son numéro habituel, parce que ça ne répond pas ?

– ....

– Vous ne connaissez pas par hasard l'indicatif pour la France ?

– ....

– Vous pouvez épeler votre nom ?

– ....

– Son poste est toujours occupé, voulez-vous patienter ?

– ....

4. *Quelles questions devez-vous poser pour obtenir les réponses sui-vantes :*

– ....?
– Monsieur Lamasse ne sera pas là avant 17 heures.

– ....?
– Ce n'est pas difficile, vous faites le 00 33.

– ....?
– Bien sûr. Un instant je prends de quoi noter.

– ....?
– Oui, excusez-moi, je parle toujours trop vite.

– ....?
– Pas de problème, vous me donnez votre adresse, et vous allez rece-voir la documentation dès demain.

C – Surprises et imprévus

– Bonjour, je voudrais parler à Mademoiselle Longo.

– Je suis navré, je ne connais pas Mademoiselle Longo.

– Je ne suis pas au 47 98 45 89 ?

– Ah non, ici c'est le 47 89 45 98.

– Je vous prie de m'excuser, je me suis trompé de numéro. (Excusez-moi, j'ai dû faire une erreur.)

– Je suis désolé, je ne comprends pas ce que vous voulez.

– Il n'y a pas d'abonné au numéro que vous demandez.

Exercices

> 1. *A vous de créer le dialogue en entier.*
>
> Vous appelez un ami et vous faites le même faux numéro pour le seconde fois consécutive.
>
> – ....
>
> – ....
>
> – ....
>
> – ....
>
> – ....
>
> – ....

Un correspondant vous appelle, vous ne comprenez pas bien. Vous lui demandez de parler moins vite, de répéter. Puis, vous vous excusez et lui demandez de rappeler plus tard quand votre chef sera là.

– ....

– ....

– ....

– ....

– ....

– ....

– ....

– ....

Votre correspondant commence à vous parler en vous prenant pour une autre personne. Vous lui expliquez que vous n'êtes pas au courant de la situation et qu'il doit se tromper de personne.

– ....

– ....

– ....

– ....

– ....

– ....

– ....

2. *Conversations à jouer.*

À LA BANQUE

Premier personnage : Monsieur Déroulède appelle son agence bancaire pour savoir si un virement est arrivé sur son compte.

Deuxième personnage : Mademoiselle Reynaud lui explique qu'il s'adresse bien à une banque, qu'il est en communication avec la BNP, mais pas avec la bonne succursale.

– BNP, bonjour.
– Bonjour, je suis Monsieur Déroulède...
– ....

AU STANDARD

Premier personnage : Madame Choiseul veut parler à Jean Thellier. Mais, elle précise bien l'orthographe du nom car il existe dans l'entreprise un autre Jean Télié.

Deuxième personnage : La standardiste stagiaire de la maison La Pérouse ne parle pas très bien français et demande qu'on lui explique clairement la situation. Puis finalement elle transmet la communication.

– La Pérouse, bonjour.
– Bonjour, je voudrais parler à...
– ....

MAUVAISE RÉCLAMATION

Premier personnage : Monsieur Verguise, qui ne dit pas son nom, commence la conversation en colère. Il se plaint de n'avoir toujours pas reçu sa commande et dit que ça ne peut plus durer. Il veut parler immédiatement au directeur !

Deuxième personnage : Madame Ledoux essaye de le calmer et lui demande de quelle livraison il s'agit. Elle comprend que Monsieur Verguise s'est trompé de maison, et devant ses excuses, elle lui explique qu'il n'est jamais bon de s'énerver.

– Je ne suis pas content du tout !
– Pardon, de quoi s'agit-il ?
– ....

3. *Réponses à la carte.*

Important

Pour que les conversations gardent leur intérêt et correspondent aux surprises de la réalité, l'employé(e) de l'entreprise ne doit pas dire à l'avance quelle sera sa réponse. La situation doit se répéter plusieurs fois avec des variations différentes.

Une personne cherche à joindre **Monsieur** ou **Madame Ducret**. Une autre joue un ou une employé(e) de l'entreprise **Léplé et fils** et informe le correspondant que Monsieur ou Madame Ducret est :
- absent(e) pour la journée ;
- malade pour une durée indéterminée ;
- en réunion ;
- en congé pour une semaine ;
- en ligne.

Une personne contacte l'entreprise **LO Services** pour une réparation très urgente. On est en plein hiver et le chauffage est tombé en panne. Le lendemain a lieu une réunion très importante, il faut absolument que les clients soient bien reçus. L'employé(e) de LO Services répond :
- Pas de problème, on envoie tout de suite un spécialiste.
- Malheureusement tous les spécialistes sont déjà en déplacement.
- Il est midi, l'employé(e) est la seule personne présente au bureau et ne peut rien dire.
- L'entreprise LO Services ne veut plus faire de réparations dans cette maison car la dernière facture n'a toujours pas été payée.
- L'entreprise LO Services a beaucoup trop de travail en ce moment, mais peut recommander une autre maison.

Une personne rappelle la maison **Veynelle et Cie** qu'elle vient d'appeler il y a une heure. La première fois, on lui avait répondu que **Monsieur** ou **Madame Leroy** serait de retour vers 14 heures. Il est 14 heures 30 et Monsieur ou Madame Leroy n'est toujours pas là.
Que dire, que faire ?
- Veynelle et Cie, bonjour
- Bonjour,…
- ....

Important

Cette situation doit se jouer sans préparation. Et pour conserver cette fraîcheur de la « surprise », il est recommandé aux élèves de trouver d'autres situations de ce type qu'ils proposeront à d'autres de jouer. Dans tous les cas, il est important que les situations « collent » à la réalité.

Sébastien Croce

3. Chiffres et lettres

A – La pratique des chiffres

Combien de ?

Le professeur commence par des questions simples :

– Combien de frères as-tu ?   (J'**en** ai **trois**.)
– Combien de doigts as-tu ?   (J'**en** ai **dix**.)
– Combien d'heures de cours avez-vous le vendredi ?

Puis il demande aux élèves d'inventer chacun trois questions dont les réponses doivent comporter des chiffres assez élevés. Et ils se les posent les uns aux autres.

Les dates

Le professeur demande à un élève de dire la date complète du jour de la leçon, puis en s'adressant chaque fois à une autre personne, il fait varier la question selon les propositions suivantes :

– Hier nous étions le combien ?
– Demain nous serons le combien ?
– Avant-hier ?
– Après-demain ?
– Dans trois mois ?
– Il y a deux ans ?
– Dans une semaine ?
– Dans quinze jours ?

Liste de prix

En écoutant attentivement les informations de la cassette vous devez pouvoir remplir cette liste de prix.

Réalisation d'objets publicitaires

Format	500 ex.	1000 ex.	2000 ex.	5000 ex.	10000 ex.
19 mm	.... F	.... F	.... F	.... F	.... F
22 mm	.... F	.... F	.... F	.... F	.... F
25 mm	.... F	.... F	.... F	.... F	.... F
30 mm	.... F	.... F	.... F	.... F	.... F

L'heure de la séance

Vous voulez aller au cinéma, mais vous ne connaissez pas les horaires des séances. Vous téléphonez et sur la cassette vous entendez les informations que vous souhaitez. Vous devez noter les horaires qui vous sont annoncés.

La belle et la bête	....h....	....h....	....h....	....h....
Les diables	....h....	....h....	....h....	....h....
Les enfants volés	....h....	....h....	....h....	....h....
Piège mortel	....h....	....h....	....h....	....h....

Horaires de trains

Vous avez sous les yeux l'horaire des trains Paris-Lausanne. Un élève joue le voyageur qui téléphone pour se renseigner, un autre joue le préposé aux renseignements. On peut bien sûr jouer aussi avec les correspondances.

3101   Paris–Lausanne

Paris-Lausanne	B	C	D	E	F	G	H	J	K	L	M	N
	1125 ③		EC 21 TGV		EC 23 TGV			EC 25 TGV			EC 27 TGV	
Voiture-bar Restauration Jours à supplément Particularités			(♀) ① ①-⑦ Ⓡ		(♀) ① ①-⑦ Ⓡ			(♀) ① ①-⑦ Ⓡ			(♀) ① ①-⑦ Ⓡ	
Paris-Gare de Lyon	⑥ 23 46		7 14		12 25			14 20			18 06	
Dijon-Ville	2 41		8 53		14 03			15 58			19 46	
Dole-Ville	3 25		9 20					16 24				
Mouchard			9 40								20 29	
Frasne			10 15					17 16			21 06	
Vallorbe ☎	5 15		10 32		15 32			17 32			21 23	
Vallorbe ②	5 48											
Lausanne ②	⑥ 6 21		11 06		16 06			18 06			21 57	

Lausanne-Brig	B	C	D	E	F	G	H	J	K	L	M	N
	2109		EC 31 ✈		EC 33 (✈)			EC 35 Ⓡ ✈				
Lausanne	6 37		11 13	11 32	16 13		16 32	18 18	18 32	18 55	22 03	22 32
Vevey	6 50			11 45			16 45		18 45	19 08	22 24	22 45
Montreux	6 55			11 51			16 51		18 51	19 13	22 33	22 51
Aigle	7 06	7 25		12 02			17 02		19 02	19 24	22 50	23 02
Bex		7 30		12 08			17 08			19 30	22 58	23 08
St-Maurice		7 35		12 13			17 13			19 35	23 03	23 13
Martigny	7 25			12 24			17 24		19 20			23 24
Sion	7 42			12 41	17 07	17 11		19 10	19 36			23 41
Sierre/Siders	7 54		12 07	12 54		17 21			19 48			23 52
Brig	8 17		12 36		17 36			19 39				0 32

B – Epeler des noms difficiles

L'annuaire

Voici une liste de noms qui ne sont pas toujours faciles à prononcer. On peut donc les lire en s'efforçant de les épeler correctement.

– Eulalie STEPHA-ROTHOP
– Hisato NAKAHIGASHI
– Marie-Joséphine OLCHEWSKY
– Jayavival PALIHAVADANA
– Sangarapi RATHAKRISHNAN
– Ngalula TOSENDA-MBOYI

– Hector-Norbert URRUTIBEHEITY
– Christiane VALLÉE-ETCHEGOYEN
– Henry WARCZYLOWA
– Brigitte XIRIGUERRA-PARROT
– Jean-Charles YAICH-DERRIEN
– Eric ZEETWOOG

Renseignements

Trois messages très courts vous donnent des informations sur différentes personnes. Après avoir écouté attentivement vous devez remplir les fiches suivantes :

Première information

Nom :

....

Prénom :

....

Adresse :

....

Code postal et ville :

....

Deuxième information

Nom :

....

Prénom :

....

Adresse :

....

Code postal et ville :

....

Troisième information

Nom :

....

Prénom :

....

Adresse :

....

Code postal et ville :

....

Des noms vraiment peu courants

Une personne joue le ou la préposée aux renseignements. Une autre appelle en imaginant une question vraisemblable, mais avec des noms difficiles. Le ou la préposée demande qu'on lui épelle les noms qui peuvent être tout à fait farfelus pour compliquer et agrémenter le jeu.

Exemple
– Renseignements, bonjour.
– Bonjour, je voudrais le téléphone de Monsieur Laphourtusec qui habite 28 rue des petits champs à Vérixin, s'il vous plaît.
– Vous pouvez épeler le nom et la ville je vous prie ?
– Certainement Laphourtusec L.A.P.H.O.U.R.T.U.S.E.C, Vérixin V.E accent aigu R.I.X.I.N.
– Un instant… C'est le 76 85 37 94.
– C'est bien le 76 85 37 94 ?
– Oui, c'est ça.
– Merci.
– Je vous en prie, au revoir.
– Au revoir.

C – Noter, dire rapidement des numéros de téléphone

Les téléphones par cœur

Demander aux élèves le numéro de téléphone qu'ils connaissent par cœur et le noter comme suit au tableau :

47 22 31 16
31 78 19 45
66 77 80 70
58 13 05 15

Puis demander aux élèves d'en faire la lecture verticale.

Je ne suis pas là, mais...

Voici une suite de messages très courts sur répondeur dans lesquels figurent un ou plusieurs numéros de téléphone que les élèves doivent parvenir à noter correctement après une ou deux lectures :

– Bonjour, vous avez bien composé le 49 77 98 81, mais je suis absent pour le moment. Vous pouvez me joindre jusqu'à 18 heures au 41 99 88 74.

– Bonjour, ici le cabinet du docteur Leduc. Le docteur est absent pour la journée. En cas d'urgence, vous pouvez appeler au 49 29 78 54, le docteur Blévert, ou bien le docteur Verdot au 43 21 17 12.

– Bonjour, pas de chance, je ne suis pas à la maison. Je suis parti en Suisse. Si vous avez une communication à me faire, suivez les indications suivantes : composez l'indicatif de la Suisse 19 41, puis l'indicatif du canton 71, puis le numéro 29 67 58. Vous avez une chance de me trouver à partir de 9 heures jusqu'à 17 heures. A bientôt.

Chaque élève doit inventer un message (s'inspirer des exemples) avec des numéros de téléphone. Lorsque tout le monde est prêt, chaque élève lit son message que les autres doivent noter. Un élève est désigné au hasard pour en faire la lecture et éventuellement les autres peuvent corriger.
(Penser à utiliser aussi les numéros de télécopie.)

Noter les téléphones

Voici une liste de personnes dont les téléphones (privés et profession-nels) vous sont indiqués sur la cassette. Vous devez notez les bons numéros en face des noms.

– Monsieur Dresdien

   tel. privé..................   tel. prof...................

– Madame Lemanche

   tel. privé..................   tel. prof...................

– Mademoiselle Rievet

   tel. privé..................   tel. prof...................

– Monsieur Adruche

   tel. privé..................   tel. prof...................

– Madame Mélisse

   tel. privé..................   tel. prof...................

4. Guide du téléphone

12 COMMENT TÉLÉPHONER ? A QUEL PRIX ? **LES PAGES INFO**
38

POUR TÉLÉPHONER EN FRANCE MÉTROPOLITAINE, ANDORRE ET MONACO

E N FRANCE MÉTROPOLITAINE

● PROVINCE → PARIS / ÎLE-DE-FRANCE

♪ **16** ♪ **1**   COMPOSEZ LE NUMÉRO A 8 CHIFFRES

② PARIS / ÎLE-DE-FRANCE → PROVINCE, ANDORRE ET MONACO

♪ **16** ♪   COMPOSEZ LE NUMÉRO A 8 CHIFFRES

● PROVINCE → PROVINCE, ANDORRE ET MONACO

♪ COMPOSEZ LE NUMÉRO A 8 CHIFFRES

● A l'INTÉRIEUR DE PARIS / ÎLE-DE-FRANCE

♪ COMPOSEZ LE NUMÉRO A 8 CHIFFRES

V ERS LES DOM - TOM

AUTOMATIQUE

♪ **19** ♪   INDICATIF DOM - TOM

PUIS COMPOSEZ LE NUMÉRO A 6 CHIFFRES

PAR L'INTERMÉDIAIRE D'UN OPÉRATEUR

♪ **19** ♪ **33**   INDICATIF DOM - TOM

VOUS OBTENEZ UN OPÉRATEUR A QUI VOUS FORMULEZ VOTRE DEMANDE

POUR TÉLÉPHONER DE FRANCE VERS L'ÉTRANGER

AUTOMATIQUE

♪ **19** ♪   PUIS L'INDICATIF DU PAYS   PUIS L'INDICATIF DE ZONE   PUIS LE NUMÉRO DU CORRESPONDANT

PAR L'INTERMÉDIAIRE D'UN OPÉRATEUR

♪ **19** ♪ **33**   PUIS L'INDICATIF DU PAYS*   VOUS OBTENEZ UN OPÉRATEUR DE FRANCE TELECOM A QUI VOUS FORMULEZ VOTRE DEMANDE

* A L'EXCEPTION :
- des USA, du Canada et des pays dont l'indicatif commence par 1, composez le 11 au lieu du 1 ;
- de la CEI, de l'Arménie, la Lituanie, la Lettonie, l'Estonie et de l'Ukraine, composez le 71 au lieu du 7.

INDICATIFS DES DOM TOM

Guadeloupe	590
Guyane	594
Martinique	596
Réunion	262
Nouvelle-Calédonie	687
Polynésie-Française	689
Wallis et Futuna	681
Mayotte	269
Saint-Pierre-et-Miquelon	508

R ENSEIGNEMENTS TÉLÉPHONIQUES

Pour la métropole, les Dom, Andorre et Monaco

composez le **12**

Pour l'étranger et les Tom
Pour obtenir le numéro de téléphone de votre correspondant

composez le **19 33 12** + indicatif du pays

FRANCE-TELECOM

LES PAGES INFO LES NUMÉROS ET SERVICES PRATIQUES DE FRANCE TELECOM **5**

38

LES NUMÉROS ET SERVICES PRATIQUES DE FRANCE TELECOM

POUR CONNAÎTRE UN NUMÉRO DE TÉLÉPHONE

11
L'ANNUAIRE ÉLECTRONIQUE
EN FRANCE (MÉTROPOLE ET DOM)

12
LES RENSEIGNEMENTS
EN FRANCE (MÉTROPOLE ET DOM)

A L'ÉTRANGER ET DANS LES TOM
19 33 12 + INDICATIF DU PAYS

POUR SIGNALER UNE PANNE OU UN MAUVAIS FONCTIONNEMENT DE VOTRE LIGNE TÉLÉPHONIQUE

13   **LES DÉRANGEMENTS**

POUR CONTACTER VOTRE AGENCE COMMERCIALE, A PARTIR DE VOTRE DOMICILE

14
VOTRE AGENCE
COMMERCIALE

36 14 FRANCE TELECOM

POUR TÉLÉPHONER AVEC UNE CARTE PASTEL

36 10
AUTOMATIQUEMENT
A PARTIR DE TOUT POSTE TÉLÉPHONIQUE
A TOUCHES MUSICALES

36 50
PAR L'INTERMÉDIAIRE
D'UN OPÉRATEUR

POUR RESTER EN CONTACT

36 12 LA CORRESPONDANCE PAR MINITEL

36 72 LA 1ERE MESSAGERIE VOCALE PUBLIQUE

POUR TRANSMETTRE UN TÉLÉGRAMME

36 55 PAR TÉLÉPHONE

36 56 PAR MINITEL

VOTRE FACTURE

36 58 POUR CONTACTER LE SERVICE INFORMATIONS SUR LA FACTURE DE VOTRE AGENCE

POUR CONNAÎTRE L'HEURE EXACTE

36 99 HORLOGE PARLANTE

POUR VOUS FAIRE RÉVEILLER
PAR TÉLÉPHONE OU NE PAS OUBLIER UN RENDEZ-VOUS IMPORTANT

MÉMO APPEL

POUR VOUS INFORMER SUR LES SERVICES MINITEL

FRANCE TELECOM

A – Obtenir un correspondant

Vous voulez passer un coup de fil à une personne qui n'habite pas la même ville que vous. En consultant le guide du téléphone et en tenant compte des indications données pour chaque situation de l'exercice, indiquez l'indicatif que vous devez composer pour joindre votre correspondant.

Vous habitez à Paris et votre correspondant se trouve en Seine et Marne.

– Je compose le ....

Vous habitez Marseille et votre correspondant se trouve à Lyon.

– Je compose le ....

Vous habitez à Grenoble et votre correspondant se trouve à la Réunion.

– Je compose le ....

Vous habitez dans le Val-d'Oise et votre correspondant se trouve à Monaco.

– Je compose le ....

Vous habitez à Lille et votre correspondant se trouve à Brest.

– Je compose le ....

Vous habitez dans la région parisienne et votre correspondant se trouve en Nouvelle-Calédonie.

– Je compose le ....

Vous êtes en France et vous voulez appeler chez vous, dans votre pays, chez vos parents ou chez des amis.

– Je compose le ....

LES PAGES INFO
38

COMMENT TÉLÉPHONER ? A QUEL PRIX ? **23**

LE TÉLÉPHONE PUBLIC

PUBLIPHONE

Installées partout (voies publiques, gares, bureaux de poste...), pour répondre à vos besoins en déplacement, les cabines publiques abritent, selon les lieux, différents publiphones :

- **publiphones à pièces** qui fonctionnent aussi, avec la Carte Pastel, en utilisant le 36 10 (voir ci contre) ;
- **publiphones à cartes** qui acceptent la Télécarte et la Carte Pastel ;
- **publiphones à cartes bancaires** magnétiques, qui équipent progressivement certains lieux spécifiques.

Un certain nombre de services sont possibles à partir des téléphones publics :
- accès gratuit et direct aux numéros d'urgence 15, 17, 18 (voir p. 3) ; aux services de FRANCE TELECOM 13 (voir p. 6), 14 (voir p. 26), aux N° Verts ;
- accès gratuit aux services des renseignements 12 (voir p. 6) :

  - dans les publiphones à cartes, introduisez une carte qui ne sera pas débitée,
  - dans les publiphones à pièces, introduisez 1 F, restitué en fin d'appel ;

- vous pouvez vous faire rappeler dans la quasi-totalité des cabines publiques, le numéro d'appel est indiqué sur l'affiche d'informations à proximité du publiphone.

Les publiphones à cartes vous permettent également :
- de passer 3 coups de fil sans retirer votre carte. A la fin d'une communication, il suffit de faire un bref geste de «raccroché-décroché», l'appareil vous invite aussitôt à composer un nouveau n° de téléphone ;
- d'obtenir une écoute amplifiée en appuyant sur la touche ◁]].

La quasi-totalité des publiphones est équipée d'une capsule magnétique pour malentendants.

Prix des communications téléphoniques à partir des postes publics : le prix de chaque impulsion est de 0,80 F TTC (1 F TTC pour la première impulsion dans les publiphones à pièces).

- téléphone dans les TGV
Vous pouvez téléphoner dans les TGV Atlantique et Sud-Est avec une Télécarte et une Carte Pastel.

POINT-PHONE

Un téléphone à pièces qui équipe les lieux de passage, de détente, de séjour (hôtels, restaurants, commerces, salles d'attente, entreprises...).

POINT-PHONE-MINITEL

Un téléphone à pièces et un Minitel pour téléphoner et consulter tous les services Minitel, hors de chez vous.

CARTE PASTEL

voir p. 37 la présentation de ce produit.

COMMENT L'UTILISER ?
• 3 modes d'accès depuis la France (métropole et Dom) :
- directement dans les publiphones à cartes ;

- automatiquement en composant le 36 10 à partir des publiphones à pièces et tout poste à touches musicales (vous serez guidé par un message vocal).

Tonalité / composez le 36 10 / puis le numéro de la carte suivi du code confidentiel puis la numérotation habituelle pour obtenir votre correspondant suivi de la touche [#] ;
- par l'intermédiaire d'un opérateur, avec tout autre poste. Composez :
  - le 36 50 pour vos communications en métropole,
  - le 19 33 + indicatif du Dom, Tom ou du pays appelé (voir p. 15, la liste des indicatifs), pour vos communications vers les Dom, les Tom, et l'étranger.

• 3 modes d'accès depuis l'étranger :
- avec France Direct, en composant gratuitement le numéro d'un opérateur en FRANCE, ou en version automatisée, selon les pays, à partir d'un poste à fréquence vocale (avec la Carte Pastel Internationale ou Sélection).
Consultez la liste des pays et les numéros d'appel, (voir p. 13) ;

- par l'intermédiaire d'un opérateur du pays d'appel.
Depuis l'étranger, la Carte Pastel Internationale ne s'insère pas dans les publiphones locaux.

TÉLÉCARTE

Pour téléphoner sans monnaie dans les publiphones à cartes, deux types de Télécartes sont disponibles :
- 50 unités : 33,73 F HT, 40 F TTC,
- 120 unités : 80,94 F HT, 96 F TTC.

Elles sont en vente dans les Agences Commerciales de FRANCE TELECOM, les bureaux de poste, les bureaux de tabac et chez les revendeurs agréés reconnaissables par l'affiche «Télécarte en vente ici ».

Collectionneurs, adressez-vous au :
Bureau National de Vente des Télécartes
BP 456
54001 NANCY CEDEX

Consultez le **36 14 TÉLÉCARTE**

TELECARTE 50

B – Services pratiques

Le téléphone public

Vous trouverez les réponses aux questions posées dans les pages « infos ».

Peut-on utiliser le Point-Phone avec une télécarte ?

– ....

Où trouve-t-on des publiphones ?

– ....

Avec le publiphone, en utilisant des pièces, comment doit-on s'y prendre pour obtenir gratuitement le service des renseignements 12 ?

– ....

Comment peut-on passer trois coups de téléphone consécutifs avec un publiphone à carte sans retirer la carte ?

– ....

Est-il possible de téléphoner dans le TGV ?

– ....

Citez un des trois modes d'accès de la carte pastel depuis la France.

– ....

C – Numéro Vert

Quel est l'avantage du Numéro Vert ?

– ....

Que faut-il faire pour appeler un Numéro Vert ?

– ....

Sur quelles bases sont établis, pour les entreprises, les tarifs réduits des Numéros Verts ?

– ....

Quel est le signe distinctif de tous les Numéros Verts ?

– ....

Le Numéro Vert permet à l'entreprise abonnée d'offrir à tout ou partie de ses correspondants la possibilité de l'appeler gratuitement, elle-même prenant à sa charge le coût de la communication.

Ce nouveau mode de communication est destiné à susciter et accélérer les multiples contacts nécessaires au développement de l'entreprise. A cet effet, il est attribué à l'abonné un numéro téléphonique spécifique à 8 chiffres commençant toujours par 05.

Numéro Vert national

(métropole seulement)

Pour appeler un Numéro Vert, quel que soit le lieu d'appel, il suffit de composer le numéro à 8 chiffres.

Vous trouverez en fin des pages blanches une liste d'abonnés Numéro Vert accessibles de ce département.

Tarifs HT :
– frais forfaitaires 590,22 F par Numéro Vert et par établissement desservi.
– redevance mensuelle d'abonnement :
  - abonnement simple ....421,59 F
  - abonnement sélectif ....505,90 F
  - abonnement multi-établissements, par établissement desservi
  ....505,90 F
– communications intrarégionales : 1,23 F la minute.
– communications interrégionales : 2,46 F la minute.

Tarifs réduits aux mêmes heures et aux mêmes taux que pour les communications téléphoniques ordinaires.

Numéro Vert international

Le Numéro Vert permet aujourd'hui des relations avec les USA, la Grande-Bretagne, les Pays-Bas, la RFA, la suède et le Danemark.

Sébastien Croce

5. Messages

A – Vous écoutez

Comprendre, reproduire un message

Quelqu'un vous a téléphoné ; comme vous étiez absent votre correspondant a laissé un message sur votre répondeur. Vous allez entendre différents messages sur cassette, ou bien lus par le professeur. A vous de comprendre, en écoutant les messages plusieurs fois si nécessaire, puis d'essayer les exercices proposés.

Message de Marc

« Bonjour, c'est Marc. Je t'appelle parce qu'il y a un petit problème. Je ne pourrai pas t'accompagner au concert comme prévu vendredi. J'ai complètement oublié que j'étais invité chez des amis justement ce soir-là. C'est un anniversaire, c'est vraiment pas gentil si j'y vais pas. Donc, je suis pris, je ne peux pas venir, et je voulais te prévenir pour que tu aies le temps de proposer cette place gratuite à quelqu'un d'autre. Ce serait dommage de la perdre. Et puis, aller au concert tout seul… c'est pas terrible. Bon, je te souhaite une bonne soirée, un excellent concert et… à bientôt. »

Message de Laure

« Bonjour, c'est Laure. C'est pas possible, t'es jamais chez toi… Tu vis dehors ma parole ! Enfin, il faudrait que tu me rappelles pour me donner l'adresse de tes amis bretons. J'ai promis de leur envoyer les photos de la fête avant la fin du mois. On est déjà le 25, ils vont commencer à s'impatienter. Si jamais tu rentres trop tard ce soir, tu peux m'appeler au bureau demain. Je te redonne le numéro : 45 23 96 87. Tu demandes le poste 113. Ah oui, ce soir je ne suis pas à la maison avant 7 heures et demie, mais tu peux essayer de me joindre jusqu'à minuit sans problème. Sois gentil, n'oublie pas. Je t'embrasse. »

Message de Léon

« Bonjour, c'est Léon. Je suis un peu déçu de ne pas te trouver parce que j'aurais un service un peu délicat à te demander. Et puis, bien sûr, c'est urgent… La dernière fois, je l'ai un peu abîmée, mais cette fois je te promets de faire attention. J'en prendrai soin. Voilà, je suppose que tu as compris de quoi il s'agit, j'aimerais que tu me prêtes ta voiture… J'ai un copain qui me vend une télé, pas cher, mais je dois absolument aller la chercher avant demain soir. Il habite à 30 km d'ici et en taxi,… bonjour la note ! Mais je te jure d'être très prudent, de rouler doucement et de ne brûler aucun feu rouge. Je te rappelle demain, et, s'il te plaît, dis-moi oui ! Merci. »

Exercices

1. *Après avoir écouté le **message de Marc**, plusieurs fois si nécessaire, relevez sous forme de notes les informations essentielles qu'il contient.*

....

....

....

....

....

2. *A partir de vos notes, exprimez oralement le contenu du message.*

Marc appelle pour…

3. *Répondez le plus précisément possible aux questions suivantes.*

Quelles sont les deux raisons pour lesquelles Marc appelle ?

....

Pourquoi Marc ne peut-il pas aller au concert ?

....

Pourquoi Marc ne veut-il pas rater l'anniversaire ?

....

4. *Imaginez maintenant que vous êtes au téléphone en train de parler à Marc. En gardant le thème du message, jouez à deux la conversation.*

– Allô ! C'est Marc.
– Ah, salut, comment ça va ?

– ....

5. *Après avoir écouté le **message de Laure**, plusieurs fois si nécessaire, relevez sous forme de notes les informations essentielles qu'il contient.*

....

....

....

....

....

6. *A partir de vos notes, exprimez oralement le contenu du message.*

Laure appelle pour…

7. *Répondez le plus précisément possible aux questions suivantes.*

Pourquoi Laure dit-elle à son correspondant qu'il vit dehors ?

....

Pourquoi est-elle pressée ?

....

Quand son correspondant peut-il la joindre ?

....

8. *Imaginez maintenant que vous êtes au téléphone en train de parler à Laure. En gardant le thème du message, jouez à deux la conversation.*

– Allô ! C'est Laure.
– Ah, salut, comment ça va ?

– ....

9. *Après avoir écouté le **message de Léon**, plusieurs fois si nécessaire, relevez sous forme de notes les informations essentielles qu'il contient.*

....

....

....

....

....

10. *A partir de vos notes, exprimez oralement le contenu du message.*

Léon appelle pour…

11. *Répondez le plus précisément possible aux questions suivantes.*

Comment comprenez-vous la phrase : « La dernière fois, je l'ai un peu abîmée » ?

....

Pourquoi l'appel de Léon est-il urgent ?

....

De quelle manière Léon promet-il de faire attention à la voiture ?

....

> 12. *Imaginez maintenant que vous êtes au téléphone en train de parler à Léon. En gardant le thème du message, jouez à deux la conversation. Vous pouvez, au choix, dire oui ou non à Léon.*
>
> – Allô, c'est Léon.
> – Ah, salut, comment ça va ?
>
> – ....

B – À vous de parler

Noter, transmettre un message

Fiches à remplir

Voici trois conversations entre un directeur et des employés. Le directeur demande que l'employé(e) appelle un correspondant et lui explique ce qu'il faut dire.

Vous êtes l'employé(e) et vous devez noter sur une fiche les informations importantes pour pouvoir transmettre correctement le message.

Premier message

Monsieur Levasseur, directeur de la maison Duchemin, s'adresse à sa secrétaire, Mademoiselle Dupuytrain.

– Mademoiselle, vous allez appeler Monsieur Lepic pour lui dire que notre réunion est repoussée. Normalement, elle devait avoir lieu à 14 heures 30, mais elle ne commencera qu'à 16 heures. Vous serez gentille d'insister discrètement sur la ponctualité, la dernière fois Monsieur Lepic a eu 10 minutes de retard, ça fait toujours mauvais effet.

– Et s'il n'est pas libre à 16 heures ?

– A vous de le convaincre, dites-lui bien que sa présence est indispensable. Rappelez-lui aussi d'apporter sa documentation personnelle.

– Bien, je l'appelle tout de suite.

Fiche de notes

....

....

....

....

....

....

....

....

Transmission du message

> *Vous devez jouer la situation à deux au téléphone. Une personne joue l'employé(e), une autre joue le correspondant.*
>
> – Allô! Monsieur Lepic, bonjour.
> – Bonjour, je suis la secrétaire de Monsieur Levasseur, je vous appelle pour...

> *Vous êtes l'employé(e), mais cette fois Monsieur Lepic n'est pas là. Alors vous devez lui laisser le message sur le répondeur.*
>
> – Bonjour,...

Deuxième message

Monsieur Senlis, responsable de l'école Langues pour tous, s'adresse à sa secrétaire, Béatrice Lasalle.

– Béatrice, tu vas contacter immédiatement la maison Pieron. Ça fait la troisième fois que la photocopieuse tombe en panne cette semaine. Tu leur dis de venir le plus vite possible, que cette situation ne peut plus durer, il y en a vraiment marre ! Tu les menaces de résilier le contrat s'ils n'arrivent pas à faire marcher cette machine correctement. Ils commencent vraiment à me casser les pieds !
– Je leur dis ça comme ça, aussi brutalement ?
– Tu te débrouilles comme tu veux, mais il faut que cette machine fonctionne avant demain. Un point c'est tout !
– D'accord, je vais essayer.

Fiche de notes

....

....

....

....

....

....

....

Transmission du message

> *Vous devez jouer la situation à deux au téléphone. Une personne joue l'employé(e), une autre joue le correspondant.*
>
> – Maison Pieron, bonjour.
> – Bonjour, je suis la secrétaire de Monsieur X, je vous appelle pour…

> *Vous êtes l'employé(e), mais cette fois personne ne répond à la maison Pieron. Alors vous devez laisser le message sur le répondeur.*
>
> – Bonjour,…

Troisième message

Monsieur Jadovin, directeur de la maison Beaulinge, s'adresse à son délégué commercial, Eric Nadeaux.

– Eric, vous voulez bien appeler notre représentant à Rouen. Vous lui expliquez qu'on a eu des problèmes de fabrication et que les modèles B 132 et C 131 ne sont pas disponibles pour le moment. Mais si jamais il a déjà passé des commandes, qu'il nous le dise, nous nous arrangerons directement avec le client.

– Et dans combien de temps tout rentrera dans l'ordre ?

– C'est difficile à dire, peut-être une semaine, peut-être plus. Donc jusqu'à nouvel ordre, pas de commandes de ces produits. Vous lui faites comprendre qu'il force sur le reste de la gamme.

– Ça, il devrait le comprendre tout seul.

– Oui, je sais, mais vous lui précisez quand même. Et puis vous lui dites aussi qu'il doit se mettre en contact avec Madame Pierson impérativement avant demain.

– Il a ses coordonnées ?

– Bien sûr, ils se connaissent très bien. Tout est clair ?

– Parfait, pas de problème. J'appelle tout de suite.

Fiche de notes

....

....

....

....

....

....

....

....

Transmission du message

> *Vous devez jouer la situation à deux au téléphone. Une personne joue l'employé(e), une autre joue le représentant.*
>
> – Allô ! Eric Pantel à l'appareil.
> – Bonjour, j'appelle de la part du patron...

> *Vous êtes l'employé(e), mais cette fois Eric ne répond pas. Alors vous devez lui laisser le message sur son répondeur.*
>
> – Bonjour,...

Quatrième message

Monsieur Andelot, directeur de l'agence de communication SITU, s'adresse à sa secrétaire, Marie Lamothe.

– Marie, vous avez déjà contacté la maison Delobel ?

– Non, pas encore, mais j'allais justement le faire.

– Ça tombe bien parce qu'il y a du nouveau. Je vous demande toute votre attention car la situation est assez complexe.

– Je suis prête.

– Bien. Premièrement, vous leur expliquerez que Monsieur Peran, notre agent commercial, est en arrêt maladie et qu'il ne peut donc pas se rendre chez eux. Deuxièmement, à la suite d'un accident tout à fait indépendant de notre volonté, nous ne sommes pas en mesure de fournir les panneaux lumineux prévus pour le stand.

– Quelle sorte d'accident ?

– Je ne sais pas exactement, le fournisseur vient de nous prévenir en nous disant que le camion avait raté un virage et que la marchandise était en grande partie détruite. Le chauffeur est à l'hôpital. Je ne sais rien de plus. En tout cas, l'exposition commence après-demain, et il faut très rapidement prendre une décision. Il est bien clair que nous n'avons pas le temps de refaire les panneaux. Nous avons deux solutions à leur proposer. Deux formules de remplacement variables selon les prix.

Première possibilité : avec une majoration de prix relativement importante, de l'ordre de 20 %, on peut installer des panneaux Plexilux. Ce sont ceux que Monsieur Peran leur avait proposés au tout début. Plus chers, mais qualité parfaite et en général très appréciés sur les stands.

Deuxième possibilité : avec une diminution de frais de près de 15 %, il est possible d'équiper le stand avec un système de panneaux standard. Le seul problème est que ces panneaux ne correspondent pas tout à fait au format désiré, ce qui suppose d'exposer moins de photos et de les présenter d'une autre manière. Le client connaît ces panneaux, il les a déjà vus.

Quel que soit le choix, il nous faut impérativement une réponse immédiate pour nous laisser le temps de faire l'installation sur le stand. Tout est parfaitement clair ?

– Pas de problèmes, j'ai tout noté.

– Bien, vous appelez tout de suite et vous me faites connaître la réponse immédiatement.

Fiche de notes

....

....

....

....

....

....

....

....

Transmission de messages

> *Vous devez jouer la situation à deux au téléphone. Une personne joue l'employé(e), une autre joue le représentant.*
>
> – Delobel, bonjour.
> – Bonjour, j'appelle de la part de la maison de stand…

> *Vous êtes l'employé(e), mais cette fois la maison Delobel ne répond pas. Alors vous devez laisser le message sur le répondeur.*
>
> – Bonjour,…

C – Créer un message

Vous devez vous absenter de chez vous ou du bureau, pour une raison ou pour une autre. Vous enregistrez un message sur votre propre répondeur ou celui de l'entreprise pour indiquer à vos éventuels correspondants les informations qui vous paraissent importantes. (Il serait très utile d'enregistrer vraiment ces messages sur un magnétophone pour bien juger du résultat.)

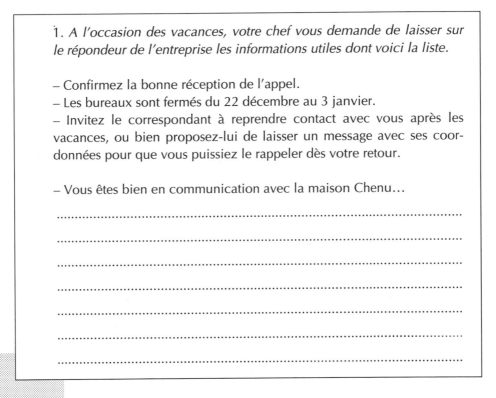

1. A l'occasion des vacances, votre chef vous demande de laisser sur le répondeur de l'entreprise les informations utiles dont voici la liste.

– Confirmez la bonne réception de l'appel.
– Les bureaux sont fermés du 22 décembre au 3 janvier.
– Invitez le correspondant à reprendre contact avec vous après les vacances, ou bien proposez-lui de laisser un message avec ses coordonnées pour que vous puissiez le rappeler dès votre retour.

– Vous êtes bien en communication avec la maison Chenu…

....
....
....
....
....
....
....

2. *Vous créez un message général pour votre domicile privé que vous branchez à chaque fois que vous vous absentez. Pour vous aider à le rédiger, voici quelques suggestions.*

– Confirmez que votre correspondant a bien composé votre numéro.
– Indiquez l'heure de votre retour à la maison.
– Dites éventuellement où on peut vous joindre pendant votre absence.
– Invitez votre correspondant à laisser un message après le bip sonore.
– Promettez de le rappeler.
– Vous avez bien composé le .... (votre numéro personnel), je suis absent hélas...

....

....

....

....

....

....

....

3. *Vous êtes parti en week-end chez des amis à la campagne, vous laissez les coordonnées de vos amis pour qu'on puisse vous joindre au besoin. Pensez à indiquer les heures où on a le plus de chance de vous contacter.*

– Bonjour, ...

....

....

....

....

....

....

6. Improvisations

A – Ne restez pas sans voix

Vous recevez un coup de téléphone où votre interlocuteur vous pose une question embarrassante. Au téléphone, il faut absolument répondre quelque chose, vous devez trouver une réponse pour que la conversation s'engage. Ces dialogues ne doivent pas être préparés, au contraire, ils sont conçus pour s'entraîner à faire face à des situations délicates.

Un élève, pris au hasard, adresse la question à un collègue de son choix et les deux personnes doivent mener la discussion à son terme.

Eventuellement, le professeur peut jouer le rôle de celui qui appelle pour donner plus de force à l'improvisation.

Exercices

1. *Un ami en attend un ou une autre au café.*

– Je suis au café *La boule d'or,* ça fait une demi-heure que je t'attends, tu as oublié notre rendez-vous ?

– ....

2. *Le chef du personnel appelle un ou une employée.*

– Qu'est-ce que j'apprends, ma secrétaire vient de me dire que vous ne voulez pas participer à notre fête de fin d'année ?

– ....

3. *Un directeur demande une explication à une personne de son service qui s'est montrée impolie avec un client en raccrochant le téléphone sans même dire au revoir.*

– Un client s'est plaint de votre conduite, pourquoi lui avez-vous raccroché au nez ?

– ....

4. *Un chef exige des explications sur la conduite « incorrecte » d'un de ses représentants à la fin d'une réunion importante.*

– Pourquoi êtes-vous parti si vite hier soir sans dire au revoir à personne ?

– ....

5. *Une personne ne sait pas comment se rendre chez un ou une nouvelle collègue chez qui elle est invitée.*

– J'ai bien reçu votre invitation, et je vous en remercie beaucoup, il n'y a qu'un petit problème, je ne sais pas du tout comment on va chez vous... Oui, je suis en voiture.

– ....

6. *La propriétaire, très en colère, téléphone à son nouveau ou sa nouvelle locataire qui a fait une fête hier soir... terriblement bruyante.*

– Je suis Madame Dautrey votre propriétaire, ça ne va pas du tout ! Vous avez fait un bruit infernal hier soir ! Il n'y a même pas quinze jours que vous avez emménagé, et vous faites un chahut pas possible jusqu'à 4 heures du matin ! Les voisins vous ont demandé de baisser un peu la musique et vous les avez injuriés en claquant la porte ! Qu'est-ce que ça veut dire ? Où avez-vous été élévé(e) ?

– ....

7. *Un collègue en appelle un autre pour lui demander un conseil en relation avec le bureau.*

– Je voudrais te demander un petit conseil. Je dois absolument rendre un rapport au chef demain et je suis loin d'avoir fini. Qu'est-ce que je peux trouver comme excuse valable ?

– ....

8. *Un collègue demande à un ou une autre des explications sur sa conduite pendant une réunion.*

– Il y a un truc que je n'ai pas compris pendant la réunion hier. Pourquoi tu as dit à Martine qu'elle était nulle comme secrétaire, c'est vraiment méchant, non ?

– ....

9. *Un ou une employée demande à son chef un conseil à propos d'un client mécontent.*

– Qu'est-ce que je fais pour Monsieur Leroy ? Il a déjà téléphoné trois fois cette semaine et sa commande n'est toujours pas prête. Il faut que je trouve quelque chose pour le faire patienter, autrement il risque d'aller s'adresser ailleurs.

– ....

10. *Un chef du personnel voudrait des explications de la part d'un de ses représentants en ce qui concerne ses dépenses.*

– Je viens de regarder votre rapport, très bien, très bon travail... mais il y a un petit problème avec vos notes de frais. Elles me paraissent vraiment exagérées. Vous n'êtes resté que trois jours à Strasbourg et vous avez une facture presque aussi élevée que si vous y étiez resté une semaine. J'attends vos explications.

– ....

11. *La maison Mélisse se plaint d'une erreur renouvelée de livraison.*

– Ça ne va pas du tout! C'est la troisième fois que vous faites la même erreur de livraison, ça commence à bien faire! Pourquoi est-ce que vous nous envoyez toujours des enveloppes petit format? Vous savez très bien que nous n'utilisons que des enveloppes grand format!

– ....

12. *La maîtresse d'école téléphone à une mère ou un père pour lui parler des problèmes de sa fille.*

– Je suis la maîtresse de votre fille Claire. Depuis deux semaines, je ne la reconnais plus, elle n'écoute plus, elle ne fait plus ses devoirs, elle est très agitée... Jusqu'à présent, elle a toujours été une excellente élève, je ne comprends pas. Que se passe-t-il?

– ....

13. *Un chef du personnel s'étonne du comportement d'un ou une employée de l'agence.*

– Depuis quelque temps, votre tenue vestimentaire laisse à désirer, vieux jeans, vêtements pas repassés, coiffure négligée... Que se passe-t-il?

– ....

14. *Au bureau, un chef réprimande un ou une employée pour ses retards répétés.*

– Ça fait la troisième fois que vous êtes en retard cette semaine. J'espère que cette fois vous avez une excuse sérieuse, autrement je serai obligé de prendre des mesures contre vous. Je vous écoute...

– ....

15. *Un chef accuse son employé(e) de mentir à propos d'un congé.*

– Je me permets de vous déranger chez vous parce que Monsieur Ladurie m'a dit qu'il vous avait vu dans la rue hier avec vos enfants. Mais si je ne me trompe pas, vous avez demandé un congé exceptionnel de deux jours pour assister à l'enterrement de votre grand-mère, en précisant bien que la cérémonie avait lieu à 500 km d'ici... J'aimerais bien que vous me disiez la vérité...

– ....

16. *Un ami vous doit de l'argent depuis trop longtemps.*

– Je ne voudrais pas être désagréable avec toi, mais il faudrait vraiment que tu penses à me rembourser mes 2 000 francs, cette histoire a beaucoup trop duré et j'en ai vraiment besoin. Tu ne m'avais pas dit que tu me les rendrais très vite ?

– ....

17. *Le représentant a consommé ce mois-ci beaucoup d'essence, beaucoup trop pour son chef.*

– Comment se fait-il que votre consommation d'essence soit si élevée ? Trois fois plus que le mois dernier ! Vous savez très bien que les représentants n'ont, en aucun cas, le droit d'utiliser les voitures de fonction pour leur usage personnel. Comment justifiez-vous cette consommation d'essence tout à fait anormale ?

– ....

7. Le débit du français

Lorsqu'on arrive dans le pays dont on apprend la langue, le problème pour comprendre les gens est souvent celui de la vitesse à laquelle ils parlent. Bien évidemment, ce problème est encore plus difficile à maîtriser au téléphone.

Pour être moins perdu, le meilleur moyen est de s'entraîner à comprendre les contractions de phrases.

A – Les contractions de l'oral

« Chépa »

Normal	Je ne sais pas.
Rapide	Chépa.

« Tadla »

Normal	Tu as de la monnaie ?
Rapide	Tadla monnaie ?

« Y »

Normal	Il me dit de venir.
Rapide	Ymdit dvenir.

« Le »

Avec « le », il se produit souvent un phénomène spécial. Le « e » disparaît et le « l » s'attache au mot précédent.

Normal	Tu as le temps ?
Rapide	Tal temps ?

B – À vous de transcrire

Voici une série de phrases contractées de façon rapide, vous devez les restituez en français à débit régulier.

Exercices

Ya Paul quited'mande dluipassélsel.

....

Kesta ? Sita mal à la tête, taqua prendre dlaspirine.

....

J'peux pa't'dire à quelle heure yr'vient.

....

Adta l'heure !

....

Silest pas là, yaqua rap'ler d'main.

....

Ouvrez bien les oreilles

Voici une série de courtes phrases prononcées rapidement, mais répétées deux fois, tendez bien l'oreille et notez ce que vous comprenez.

1. ....

2. ....

3. ....

4. ....

5. ....

6. ....

8. Dialogues en situation

A – Situations authentiques

Les petites annonces

1. Voiture

> Vends 2 CV Année 1977
> 98 000 km, refaite à neuf (factures)
> Prix à débattre
> Tel 48 56 87 91 ap. 19 h

Premier personnage

Vous avez sous les yeux une petite annonce dans la rubrique « automobiles ». Vous êtes intéressé et vous appelez pour en savoir davantage. Cette occasion paraît valable, mais vous ne pouvez rien décider avant d'avoir parlé au propriétaire. Pour que la conversation fonctionne bien, vous devez à l'avance préparer vos questions. Votre but est d'avoir le plus de détails sur l'état réel de la voiture, d'obtenir un bon prix et de trouver un arrangement pour payer. Vous n'oubliez pas de prendre rendez-vous pour essayer la voiture (notez bien l'adresse, l'heure).

Deuxième personnage

Vous jouez le propriétaire de la 2 CV et vous devez de votre côté préparer des arguments pour justifier le prix de 7000 F que vous aimeriez obtenir. C'est presque une voiture de collection, les 2 CV sont devenues introuvables, sont réputées increvables et le kilométrage n'est pas énorme. L'état du moteur est extraordinaire, pratiquement neuf, les factures sont là pour le prouver. Peut-être existe-t-il quelques petits défauts que vous passez sous silence…

Exercices

Questions de l'acheteur

....

....

....

....

....

Arguments du vendeur

....

....

....

....

....

Conversation

– Bonjour, j'appelle à propos de l'annonce parue dans le journal de ce matin.

– Bonjour,...

2. Emploi

> Propriété vinicole cherche JH ou JF
> pour vendanges en Beaujolais,
> première quinzaine de septembre
> demander M. ou Mme Ladurie
> tel 68 89 97 54

Premier personnage

Vous cherchez un petit job en France pour les vacances. Cela vous intéresse de pouvoir mettre en pratique votre français tout en gagnant un peu d'argent. Vous appelez Monsieur ou Madame Ladurie en posant le plus de questions possible sur les conditions de travail, le salaire, le permis de travail, le logement, les contacts...

Bien évidemment, il convient de préparer ces questions à l'avance en essayant de prévoir la situation pour éviter toutes les surprises.

Deuxième personnage

Vous jouez Monsieur ou Madame Ladurie et vous devez de votre côté préparer des réponses plausibles et des questions à poser au candidat sur ses motivations, son expérience ...

Exercices

Questions du demandeur d'emploi

....

....

....

....

....

Questions de l'employeur

....

....

....

....

....

Conversation

– Bonjour, je voudrais parler à Monsieur ou Madame Ladurie...

– Bonjour,...

3. Amitié

> Etudiant, 25 ans, isolé à Paris
> très tolérant, cherche ami(e)
> pour sortir, rire, échanger…
> Aime la nature et la vie.
> tel 42 97 86 92 ap. 18h.
> Demandez Pierre.

Premier personnage

Vous aimeriez avoir des contacts avec des gens qui parlent français et vous avez trouvé dans un journal cette annonce. Vous appelez en espérant vous faire un ou une amie. Vous devez préparer des questions à poser à votre correspondant sur sa personnalité, ses intérêts, ses loisirs…

Deuxième personnage

Vous avez passé l'annonce et vous devez, vous aussi, préparer des questions pour mieux connaître l'autre.

Exercices

Questions de la personne qui répond à l'annonce

....

....

....

....

Questions de la personne qui a lu l'annonce

....

....

....

....

Conversation

– Bonjour, j'ai lu avec intérêt votre annonce…

– Bonjour,…

---

4. Logement

> **PARTAGE**
> Loue grande chambre
> à personne calme
> ds appart. 70 m2
> 2 300 F/m.
> Tel 49 82 67 76

Premier personnage

A la recherche d'un logement, vous consultez les annonces immobilières. En tant que stagiaire à Paris, vous ne pouvez pas vous permettre un loyer trop élevé. Cette annonce vous intéresse mais vous savez que partager un appartement avec quelqu'un n'est jamais très facile. Alors, avant de téléphoner vous préparez vos questions sur l'adresse, l'ambiance du quartier, la durée de la location, le bruit, les conditions exactes de prix, la proximité de la gare, du bus, du métro… Vous n'oubliez pas de vous renseigner un peu sur la personnalité de celui ou celle qui a passé l'annonce.

Deuxième personnage

Vous êtes seul(e) dans votre appartement et vous avez songé à le partager, mais vous voulez trouver quelqu'un avec qui vous avez toutes les chances de bien vous entendre. Vous préparez des questions à poser à l'autre sur son travail, son sérieux, ses revenus, ses loisirs…

Exercices

Questions du locataire

....

....

....

....

....

Questions du propriétaire

....

....

....

....

....

Conversation

– Allô, je m'intéresse à votre location… C'est encore libre ?

– Oui, il y a d'autres candidats, mais rien n'est encore décidé…

B – Soutenir une conversation complexe

Voici des personnages qui vont se rencontrer au téléphone, mais ce sera à vous de faire la conversation. Les arguments principaux vous sont donnés, vous devez en tenir compte pour jouer la conversation.

SITUATION 1

Eric Trudeau : célibataire, travaille dans une entreprise, Apitex, qui a des relations commerciales avec l'Allemagne. Dans deux mois, il doit commencer à travailler au service exportation. Pour cela, il doit perfectionner ses connaissances en allemand pour pouvoir s'entretenir avec ses correspondants étrangers. Il a décidé de prendre des cours particuliers et il téléphone à Christine.

Christine Legoff : étudiante en histoire, parfaitement bilingue français-allemand. Elle a passé une annonce dans un journal pour donner des leçons d'allemand. Elle cherche par ce moyen à financer ses études.

Les arguments

Eric	Christine
• intéressé par l'annonce	• disponible
• il explique sa situation	• elle demande son niveau en allemand
• beaucoup oublié, mais pas débutant	• combien d'heures par semaine ?
• deux fois par semaine ?	• bien pour commencer
• quelle expérience de l'enseignement ?	• elle fait ça depuis deux ans
• le prix ?	• 130 F de l'heure
• pas trop de théorie	• OK pour la pratique
• chez elle, chez lui ?	• le jour, l'heure ?

$$\boxed{\text{SITUATION 2}}$$

Claude Bénichou : chargé des relations publiques dans une maison d'assurances, *La Paix*, il a commandé 5 000 briquets publicitaires à l'effigie de sa société. A la réception de la commande, il remarque un gros défaut sur les briquets : le fabricant a fait une erreur dans les couleurs. Il téléphone pour se plaindre.

Fernand Bréhier : responsable des commandes dans l'agence Sicom qui distribue des articles publicitaires. C'est lui qui a pris la commande de Monsieur Bénichou.

Les argument

Claude	Fernand
• il expose la situation et marque bien son mécontentement	• il reconnaît l'erreur et précise que le fabricant en Asie est responsable
• quelles possibilités sont envisageables ?	• refaire la commande
• pas le temps, les briquets doivent être distribués impérativement dans quinze jours	• commande prioritaire environ deux semaines
• il les faut pour une opération de promotion déjà programmée un jour de retard = catastrophe	• faire le maximum ou vous acceptez ceux-là avec une réduction de 25 %
• pas intéressé par la réduction, il veut les briquets prévus à temps	• il va contacter son fabricant pour les délais
• il veut une certitude	• il s'engage à trouver la solution

SITUATION 3

Etienne Autray : agent commercial dans une maison de distributeurs de boisson, ACAV. Après un mailing qui proposait ces produits, il relance les éventuels clients. Il appelle l'usine Pratel, en espérant fortement une commande.

Marie Danthu : chef du personnel à l'usine Pratel qui emploie plus de 300 personnes. Elle a bien reçu l'offre de Monsieur Autray, mais elle hésite. Il faudrait effectivement remplacer les vieux distributeurs, et elle veut faire jouer la concurrence.

Les arguments

Etienne	Marie
• il se présente et rappelle son mailing	• elle a justement sa lettre sous les yeux
• il vante ses produits : robustesse, fiabilité, service après-vente…	• le prix lui paraît élevé
• il existe des maisons moins chères, mais moins fiables	• justement ça l'intéresse pourquoi investir plus ?
• à l'usage c'est en fait plus économique, pas de pannes	• comment en être sûre ?
• il propose de passer la voir avec une doc très complète	• elle accepte et prend rendez-vous

Il est facile de demander par la suite aux élèves de préparer eux-mêmes d'autres situations.

C – Conversations privées

Vous allez entendre trois conversations privées au téléphone, plusieurs fois si nécessaire. Puis vous essayez de répondre aux questions de compréhension qui vous sont posées.

Exercices

📼 *Retrouvailles*

1. Comment Olivier Lambolle a-t-il trouvé les coordonnées de Francisca Martinez ?
....

2. Quel est le point commun entre les deux correspondants ?
....

3. Quel le métier d'Olivier Lambolle ?
....

4. Pourquoi Olivier Lambolle ne peut-il rester que jusqu'à 19 h samedi ?
....

5. Quel est le code d'entrée de Francisca Martinez ?
....

📼 *Pas de chance !*

1. Qu'est-ce que la correspondante vient de rater ?
....

2. Quelle a été sa première erreur ?
....

3. Que s'est-il passé au feu rouge dans la côte ?
....

4. Quelle a été la réaction de l'examinateur après le choc ?
....

5. Quelle proposition fait le correspondant à la correspondante ?
....

Drôle d'affaire

1. Quel est le truc incroyable qui arrive à l'un des correspondants ?

....

2. Depuis combien de temps l'un des correspondants doit-il de l'argent à l'autre ?

....

3. Qu'est-ce que le correspondant qui appelle espère obtenir ?

....

4. Quels sont les doutes qu'exprime le correspondant à qui est proposé l'affaire ?

....

5. Pourquoi l'offre est-elle refusée ?

....

D – Les urgences

« Allô, les pompiers ! »

Voici une dame qui appelle les pompiers. Faites comme le pompier qui reçoit l'appel, gardez votre calme et essayez de répondre aux questions qui vous sont posées.

1. Pourquoi la dame panique-t-elle ?

....

2. Quelle est son adresse ?

....

3. Qu'est-ce qui lui fait croire que sa maison brûle ?

....

4. Pourquoi le pompier recommande-t-il de couper le compteur ?

....

5. Comment se finit l'alerte ?

....

Test final

Ce test ne se conçoit pas comme un examen, mais plutôt comme une évaluation personnelle de son aptitude à se comporter au téléphone. Il permet également de situer avec précision les éventuels points faibles qu'il serait utile de retravailler pour être tout à fait à l'aise. Aucune question, aucune situation ne s'envisagent par écrit afin de respecter les conditions réelles de la communication téléphonique. Les réponses, elles, se font par écrit afin de permettre plus facilement l'évaluation.

1. ....
....
....

2. ....
....
....

3. ....
....
....

4. ....
....
....

5. ....
....
....

6. ....
....
....

7. ....
....
....

8. ....
....
....

9. ....
....
....

10. ....
....
....

11. ....
....
....

12. ....
....
....

13. ....
....
....

14. ....
....
....

15. ....
....
....

16. ....
....
....

17. ....
....
....

18. ....
....
....

19. ....
....
....

20. ....
....
....

Transcription des textes complémentaires de la cassette

3. Chiffres et lettres

A – La pratique des chiffres

Liste de prix

Réalisation d'objets publicitaires

Format	500 ex	1000 ex	2000 ex	5000 ex	10000 ex
19mm	6,40 f	5,90 f	4,70 f	3,30 f	3,10 f
22mm	6,65 f	6,20 f	5,00 f	3,50 f	3,25 f
25mm	6,90 f	6,45 f	5,22 f	3,67 f	3,41 f
30mm	7,55 f	7,25 f	5,45 f	3,85 f	3,58 f

L'heure de la séance

Vous voulez aller au cinéma, mais vous ne connaissez pas les horaires des séances. Vous téléphonez et vous entendez les informations que vous souhaitez. Vous devez noter les horaires qui vous sont annoncés.

La belle et la bête	14h05	16h25	18h50	21h15
Les diables	15h35	17h40	19h45	21h50
Les enfants volés	14h10	15h55	17h45	19h45
Piège mortel	15h15	17h10	18h45	20h35

B – Epeler des noms difficiles

Renseignements

A vous de noter correctement les informations que vous allez entendre.

Première information
Il s'agit de Monsieur Rodolphe Malhouises, j'épelle : R.O.D.O.L.P.H.E. M.A.L.H.O.U.I.S.E.S.
Il habite 96, rue des Longs-Puits (L.O.N.G.S - P.U.I.T.S)
94 878 Chaufermeil (C.H.A.U.F.E.R.M.E.I.L).

Deuxième information
Voici les coordonnées de Mademoiselle Aude Scalabre (S.C.A.L.A.B.R.E) : 77, chemin des Vertugadins (V.E.R.T.U.G.A.D.I.N.S), 56 461 Les Bourdiers-Chante-clerc (B.O.U.R.D.I.E.R.S - C.H.A.N.T.E.C.L.E.R.C)

Troisième information
Madame Dechieseux s'est mariée et a déménagé. Elle s'appelle désormais Madame Dupuytrenne (D.U.P.U.Y.T.R.E.N.N.E). Elle habite 64, cité de Phals-bourg (P.H.A.L.S.B.O.U.R.G) 14 881 Jouy-en-Bast (J.O.U.Y E.N B.A.S.T).

Noter rapidement des numéros de téléphone

Voici une liste de personnes dont les téléphones (privés et professionnels) vous sont indiqués. Vous devez noter les bons numéros en face des noms.

– Monsieur Dresdien	tel privé 47 95 86 51	tel prof 49 65 84 46
– Madame Lemanche	tel privé 58 69 72 43	tel prof 56 98 74 10
– Mademoiselle Rievet	tel privé 74 52 58 79	tel prof 74 68 72 94
– Monsieur Adruche	tel privé 91 47 53 86	tel prof 97 56 84 27
– Madame Mélisse	tel privé 65 84 76 67	tel prof 65 97 72 40

7. Le débit du français

Voici une série de courtes phrases prononcées rapidement, mais répétées deux fois. Tendez bien l'oreille et notez ce que vous comprenez.

1. Chépa à quelle heure y peut v'nir.
2. T'as pas vu l'dossier qu'Jacques a apporté dta l'heure ?
3. Ya Laure qui t'demand'dla rap'ler d'main.
4. Vous avez pas d'la monnaie pa'ce que j'ai plus d'billets ?
5. Qu'est-ce qu'ym veut ç'ui-là ?
6. Si'l'client y réclame, ya qu'à l'rembourser.

Quelques accents français

Voici un exercice de compréhension pure. Vous allez entendre plusieurs fois le même petit texte dit par des gens qui proviennent de régions françaises très différentes. Attention, ouvrez bien vos oreilles.

Version « normale »

« Bonjour, je m'appelle Christian, j'ai 34 ans. J'habite un appartement de quatre pièces, j'ai cinq poissons rouges et je travaille dans une banque. J'ai pas mal de copains que je retrouve le soir au café pour l'apéro. Enfin pas tous les jours parce que j'ai une femme, Marguerite, et deux gosses. Le week-end, on va souvent à la campagne, mais quand on habite en ville le problème c'est les encombrements du dimanche soir. Enfin, c'est une question d'habitude. »

Version dauphinoise

Version sud-ouest

Version marseillaise

8. Dialogues en situation

C. – CONVERSATIONS PRIVÉES

Retrouvailles

– Allô
– Francisca Martinez ?

– Oui, c'est moi.

– Je ne sais pas si vous vous souvenez de moi parce que ça fait bien longtemps qu'on s'est perdu de vue. Et justement la semaine dernière, je suis tombé sur un article que vous avez écrit dans la revue *Nature*. Je me suis dit que l'occasion était trop belle pour ne pas vous saluer. J'ai téléphoné à la rédaction du journal et on m'a donné vos coordonnées et me voici.

– J'avoue très honnêtement que je ne vois pas très bien qui vous êtes, votre voix me dit vaguement quelque chose, mais je ne vous situe pas clairement.

– Nous étions ensemble à l'école, au lycée Gabriel-Fauré plus exactement. Je vais vous aider, mon prénom est Olivier.

– Olivier Lambolle ? Oh quelle bonne surprise ! Ça fait effectivement de longues années que nos chemins se sont séparés. Mais à l'époque, je crois qu'on se tutoyait, pourquoi ne pas continuer ? Qu'est-ce que tu deviens ?

– Je vais plutôt bien, je viens juste de trouver du travail après six mois de chômage.

– Dans quelle branche ?

– Rédacteur dans une revue pour adolescents, ça a l'air vraiment intéressant.

– Et tu habites où ?

– Je suis toujours parisien. Et toi tu es mariée, des enfants ?

– J'ai été mariée, j'ai divorcé et j'ai deux petites filles. Tu aurais le temps de passer à la maison un de ces jours pour qu'on puisse parler tranquillement ? Je ne t'invite pas à manger parce qu'en ce moment je rentre vraiment tard le soir, mais si tu veux venir samedi après-midi…

– C'est parfait parce que je n'ai rien de prévu, je devais partir en week-end mais finalement ça ne marche pas. Ça irait vers 3 heures ?

– Ou plus tôt si tu veux, le seul impératif que j'ai c'est un rendez-vous à 19 heures, ça nous laisse le temps de boire quelques verres et de se raconter un peu nos vies. Ah oui, j'y pense, il faut que je te donne le code de la porte. C'est 98 J 76.

– OK, c'est noté. A très bientôt.

– D'accord, à samedi, au revoir.

– Au revoir.

Pas de chance

– Allô !

– Alors ça y est ?

– Ah m'en parle pas, c'est une catastrophe !

– Quoi ? Tu as encore raté ?

– Eh oui, mais cette fois je laisse tout tomber, j'en ai trop marre !

– Raconte-moi d'abord comment ça s'est passé. Tu étais aussi nerveuse que la première fois ?

– Un tout petit peu moins, mais j'ai fait une erreur juste au début. J'ai oublié d'enlever le frein à main, et l'examinateur m'a dit : « Si vous commencez comme ça, on ne va pas aller loin ! » Mais sur un ton vachement sec, ça m'a coupé mes moyens.

– Mais après tu as fait d'autres erreurs ?

– Disons que je n'ai pas eu de chance, pendant dix minutes tout s'est bien passé, puis tout d'un coup il y a eu un feu rouge en plein milieu d'une côte. Et les démarrages en côte, c'est toujours délicat, je ne suis vraiment pas à l'aise. Je ne sais pas ce que j'ai fait mais la voiture a reculé et a cogné celle qui était juste derrière.

– Fort ?

– Non, presque pas, mais c'était un car de flics ! Ils ont crié comme des fous !

– J'imagine que l'examinateur n'était pas très content non plus...

– Ah ! tu peux le dire, il m'a traitée d'incapable, de terroriste... Alors, j'ai crié à mon tour. Et bien sûr, à la fin, il m'a dit qu'il ne donnerait jamais le permis à un danger public de mon espèce.

– Bon, je sais ce qu'on va faire, la semaine prochaine c'est les vacances et si tu veux, on peut conduire ensemble sur les petites routes.

– Tu crois que j'ai une chance de réussir un jour ?

– Mais bien sûr, si tu suis mes conseils.

– C'est peut-être une bonne idée.

– Tu me rappelles lundi ?

– D'accord.

– Et ne te fais pas de souci, la prochaine fois c'est la bonne !

– J'espère, salut.

– Salut.

Drôle d'affaire

– Allô !

– Bonjour, je ne te dérange pas ?

– Non, pas du tout.

– Je t'appelle parce qu'il m'arrive un truc incroyable.

– Qu'est-ce qui t'arrives ? Tu as gagné au loto ?

– Non, non rien de ce genre.

– Dommage, tu aurais pu me rembourser l'argent que tu me dois depuis trois mois...

– Patience, ça va venir. Et justement, j'ai un coup à te proposer.

– Oh, je me méfie de tes combines.

– Tu n'as rien à craindre, il n'y a aucun risque.

– Oui, mais tu dis ça à chaque fois.

– Cette fois c'est du 100 % sûr.

– Dis toujours.

– Voilà, j'ai un ami, enfin pas vraiment un ami, un ami d'un ami, qui me donne une vieille voiture. Tu entends bien, il me la donne, je n'ai rien à payer.

– Et dans quel état elle est cette « merveille » ?

– Bien sûr, elle n'est pas en état de rouler, mais je la répare et je la revends un bon paquet de fric.

– Excellente idée, mais je ne vois pas très bien en quoi ça me concerne.

– Mais si, tu peux gagner de l'argent toi aussi !

– Comment ça ?

– C'est pas compliqué, tu m'aides à payer les pièces à changer, je fais le boulot, je la vends et en même temps je te rembourse et on partage les bénéfices. Pas mal, non ?

– Tu veux dire que tu m'appelles pour me demander encore de l'argent ?

– Oui, mais c'est une bonne affaire.

– Ah non, d'une part rien ne dit que tu pourras réparer puis revendre la voiture facilement et d'autre part je ne te prête plus un sou avant que tu m'aies remboursé ce que tu me dois.

– Mais tu es bête ou quoi ?
– Je serais bien bête effectivement de passer ma vie à te prêter de l'argent !
– Alors tu refuses ?
– Tu commences par me rembourser, après on verra.
– Ben, je te croyais plus intelligent.
– Tu commences gentiment à m'énerver, il ne te vient pas à l'idée que j'ai peut-être besoin d'argent moi aussi ?
– Bon,bon, je vois que tu ne veux pas discuter, je n'insiste pas.
– Et tu me rappelles quand tu as l'argent que tu me dois.
– C'est ça, c'est ça, je te rappelle plus tard. Salut.
– Salut.

D. – LES URGENCES

« Allô, les pompiers ! »

– Sapeurs-pompiers, j'écoute.
– Venez vite, c'est grave, vite !
– Je vous en prie, madame, calmez-vous.
– Mais dépêchez-vous, c'est urgent !
– Reprenez votre sang-froid et expliquez-moi ce qui se passe.
– Il y a de la fumée partout ! Venez vite !
– Où habitez-vous ?
– Près de l'école, envoyez une voiture à toute allure, la maison va brûler !
– Il y a beaucoup d'écoles dans cette ville, il faut que vous soyez plus précise.
– Mais j'ai pas le temps, je vais mourir !
– Vous voyez des flammes ? Il y a d'autres personnes dans la maison ?
– Non, je suis seule, mais ça fume, ça fume !
– Donnez-moi calmement votre adresse exacte, le nom de la rue et le numéro.
– 197, rue Cauchinchoix.
– Vous parlez beaucoup trop vite, je n'ai rien compris. N'ayez pas peur, on s'occupe de vous, mais sans l'adresse je ne peux rien faire.
– 197, rue Cauchinchoix
– Voilà, c'est mieux, j'envoie une voiture dans un instant.
– Merci, au revoir.
– Non, non, ne raccrochez pas. Dites-moi d'où vient la fumée.
– De... de la cuisine !
– Et vous dites qu'il n'y a pas de flammes ?
– Non, mais plein de fumée noire et ça sent le brûlé, une vraie catastrophe, qu'est-ce que je vais devenir ?
– Vous étiez en train de faire la cuisine ?
– Non, je lisais le journal. Pourquoi ?
– Le gaz est-il allumé ?
– Non, la cuisinière est électrique.
– Et il n'y a rien dans le four ?
– Oh, mon gâteau ! Je l'ai complètement oublié !
– Allez vite couper le compteur. Et dites-moi si la fumée provient uniquement du four.

– (Bruits de pas précipités) Oui, je crois que c'est le four.

– Ouvrez-le et dites-moi dans quel état est votre gâteau.

– Oh, misère ! Un vrai morceau de charbon, complètement calciné !

– Je suis désolé pour votre dessert, mais je crois que vous êtes hors de danger.

– Mais mon mari, qu'est-ce qu'il va dire ?

– Vous savez, il vaut mieux rater un dessert que de perdre une maison.

– Oui, je pense que vous avez raison. Je m'excuse pour tout ce dérangement.

– Non, ce n'est rien, vous avez de toute façon bien fait de nous appeler. Mais la prochaine fois, faites plus attention.

– Et les pompiers qui vont arriver, qu'est-ce que je vais leur dire ?

– Ne vous inquiétez pas, la voiture n'est pas encore partie. Tout est bien qui finit bien.

– Je vous remercie beaucoup, au revoir.

– Je vous en prie, au revoir madame.

Test final

Ce test ne se conçoit pas comme un examen, mais plutôt comme une évaluation personnelle de son aptitude à se comporter au téléphone. Il permet également de situer avec précision les éventuels points faibles qu'il serait utile de retravailler pour être tout à fait à l'aise. Aucune question, aucune situation ne s'envisagent par écrit afin de respecter les conditions réelles de la communication téléphonique. Les réponses, elles, se font par écrit afin de permettre plus facilement l'évaluation.

1. Vous voulez joindre Monsieur Delabarre et une standardiste reçoit votre appel. Comment lui demandez-vous d'entrer en contact avec votre correspondant ?

2. Vous recevez un appel et vous ne comprenez rien à ce que dit votre correspondant qui parle beaucoup trop vite. Comment réagissez-vous ?

3 A quelle occasion utilise-t-on l'expression « Je vous en prie » ?

4. Faites une phrase qui commence par : « Je vous prie… ».

5. Vous recevez un appel pour Madame Ledoux, mais elle est en réunion. Que dites-vous à votre correspondant ?

6. Votre correspondant veut parler à votre chef qui est absent. Comment lui expliquez-vous qu'il peut laisser un message ?

7. Vous voulez parler à Mademoiselle Duchemin qui est en ligne pour le moment. Comment demandez-vous à la standardiste si vous pouvez laisser un message pour Mademoiselle Duchemin ?

8. Vous remarquez que vous avez composé un faux numéro. Comment vous excusez-vous auprès de votre correspondant ?

9. Vous téléphonez aux renseignements. Vous devez noter le nom que le préposé vous épelle : Monsieur Strawczinski (S.T.R.A.W.C.Z.I.N.S.K.I).

10. Voici une série de numéros de téléphone que vous devez noter :
    – 97 85 54 83
    – 59 78 86 71
    – 45 81 76 67
    – 28 99 85 73

11. Vous appelez un ami et vous tombez sur le répondeur. Notez l'essentiel des informations du message.
    – Vous êtes bien chez Jacques Ponceau, je suis absent hélas ! Si vous me laissez vos coordonnées, je vous rappellerai dès mon retour. Parlez après le bip sonore. Merci.

12. Votre chef vous demande d'appeler la maison AOC. Il vous explique ce que vous devez demander. Vous devez noter rapidement les points importants pour ne rien oublier au moment de l'appel.
    – Vous allez contacter Monsieur Dubois et lui dire qu'il doit absolument joindre Mademoiselle Ledoux au 45 98 89 62 avant midi pour l'informer que le dîner prévu avec nos associés n'a plus lieu au restaurant « Le Soleil », mais au restaurant « La Meule d'Or » (M.E.U.L.E D apostrophe O.R) qui se trouve au 76, rue Desloiseaux (D.E.S.L.O.I.S.E.A.U.X). L'heure du repas ne change pas, le rendez-vous est toujours fixé à 20 heures 45.

13. Vous avez lu une petite annonce dans le journal *Ouest-France* à propos d'une maison à louer. Vous appelez la personne qui a passé l'annonce. Comment commencez-vous la conversation ?

14. Que répondez-vous si une personne vous appelle et demande quelqu'un que vous ne connaissez absolument pas ?

15. Vous venez d'acheter un répondeur pour votre usage personnel, écrivez le message que vous allez enregistrer.

16. Votre correspondant vous demande de transmettre une information très importante à votre chef. Il insiste en vous posant la question : « C'est absolument certain que vous lui transmettrez mon message ? » Que lui répondez-vous pour l'assurer que vous ferez bien ce qu'il attend de vous ?

17. Quelle différence faites-vous entre un indicatif et un code postal ?

18. Que répondez-vous si votre correspondant vous raccroche au nez ?
    (attention piège !)

19. Au cours de la conversation, votre correspondant dit une phrase que vous ne comprenez pas. Que lui dites-vous ?

20. Votre correspondant s'est montré très aimable avec vous, il vous a même rendu service en vous donnant une information difficile à obtenir qui vous est très utile. Par quelle phrase plus précise que : « Je vous remercie beaucoup » pouvez-vous lui montrer que vous appréciez son aide ?

par Achevé d'imprimer
avec les films fournis,
en mai 1996
IMPRIMERIE LIENHART
à Aubenas d'Ardèche

Dépôt légal mai 1996
N° d'imprimeur : 8414
Printed in France